혼자 독일? 오히려 좋아!

발 행 | 2023년 06월 01일

저 자 | 전태준

펴낸이 | 한건희

펴낸곳 | 주식회사 부크크

출판사등록 | 2014.07.15(제2014-16호)

주 소 | 서울특별시 금천구 가산디지털1로 119 SK트윈타워 A동 305호

전 화 | 1670-8316

이메일 | info@bookk.co.kr

ISBN | 979-11-410-3019-3

www.bookk.co.kr

혼자 독일?
오히려 좋아!

전태준 지음

우리는 당신의 고민을 이해합니다.

당신의 열정을 존경합니다.

잘 해낼 수 있을까 하는 두려움을 이겨 내고

한 발짝 내밀어 본 용기까지 이해합니다.

당신이 겪은 고민과 그것을 해결하기 위해 한 노력을 알고 있기에,

이 책을 구매해 주신 당신의 선택이 결코 틀리지 않게,

안내서가 될 수 있도록 최선을 다해 볼게요.

목차

머리말과 지은이 소개 6

1. **유학 가고 싶은 나라, 독일 8**

1.1 매년 7천여 명이 독일로 유학을 가는 이유?..... 8

1.2 독일 유학 후 외국인이 취업이 가능할까?.......... 9

1.3 독일 유학중 아르바이트가 가능할까?................ 13

1.4 독일 내 인기 TOP 10 대학교 및 유망 전공... 15

2. **독일 유학 비용 22**

2.1 가성비 갑 독일의 생활비는 얼마나 들까?....... 22

2.2 독일 대학교 정말 학비가 0원일까?.................... 23

3. **독일 대학 및 대학원 입학 조건 25**

3.1 내 성적으로 독일 대학에 입학 가능할까?....... 25

3.2 내 성적으로 독일 대학원에 입학 가능할까?.. 26

3.3 검정고시로 독일 대학 입학 가능할까? 30

4. **독일 대학교에 입학하려면 언제부터 준비해야 할까?........ 31**

4.1 독일 대학 원서 지원 및 입학 시기 (대학교). 31
4.2 독일 대학 원서 지원 및 입학 시기 (대학원). 32
4.3 원서 지원을 위한 골든 타임 라인 33

5. **어렵다는 독일어 효과적으로 배울 수 있는 방법은? 37**

6. **실패 없이 독일 대학교에 원서 지원 하는 방법은? 39**

6.1 필요 서류 및 대사관 공증 절차 39
6.2 원서 지원 절차 41
6.3 CV (이력서) / Motivation Letter (지원동기서) 팁과 샘플 43

7. 독일 대학 합격 후 현지에서 무엇을 준비해야 할까? 50

7.1 숙소 구하기 50
7.2 거주지 등록 54
7.3 슈페어콘토 56
7.4 비자 57

8. 마무리 59

머리말과 지은이 소개:

이 책은 독일 유학에 관심이 있어 고민하고 있지만, 어디서부터 어떻게 무엇을 시작해야 할지 알고 싶거나 독일 대학 시스템이 궁금한 분들께 조금이나마 도움이 되었으면 하는 바람으로 쓰게 되었습니다. 이 글이 독일로 유학을 가고자 하는 분들과 고민하고 있는 분들에게 작은 희망이 되었으면 합니다. 글쓴이는 현재 호주 시민권자이며, 독일 전문 유학원에서 근무하고 있습니다. 어렸을 때부터 많은 유학생들을 봐 왔기에, 그들이 현지에 정착하기까지 많은 어려움과 불편함이 있다는 것도 잘 알고 있습니다. 호주 유학에 관한 정보는 너무나도 많습니다. 하지만 독일 유학에 관한 정보는 아직까지 너무나도 부족하고, 있다 하더라도 모든 입학 과정이 자세하게 나와 있지 않은 게 대부분입니다.

독일 전문 유학원에서 매년 약 1,000여 명의 학생들 및 학부모들과 독일 대학 진학까지 *독일 입시 컨설팅을 진행해 오면서, 글쓴이와 이전 학생들이 겪었던 시행착오들과 많은 경험들을 앞세워 구체적으로 필요한 정보들만 적어 냈습니다. 독일 대학 입시 컨설팅을 통해 알게 된, 학생들과 학부모들이 가장 궁금해하는 것들을 단계별로 핵심들만 나열하였습니다.

이 책을 찾아 주셔서 감사합니다.

..

*[입시 컨설팅이란?]

입시 컨설팅이란, 학생 개개인의 성적과 희망 전공, 그리고 목표하는 대학교를 토대로 맞춤 로드맵을 설계하여 독어 준비부터 입시 전략까지를 설계하고 약 1년 이상의 기간 동안 함께 준비하는 과정을 의미합니다. 만약 목표하는 대학교가 없을 경우 학생과의 심층 상담을 통하여 합격 가능성이 있는 대학 위주로 목표를 정한 뒤 로드맵을 짜고 있습니다.
따라서, 컨설팅의 최종 목표는 각자 자신이 가진 무기를 잘 포장하고 부족한 부분을 보완하여 다른 경쟁자들보다 합격률을 높이는 데에 있습니다.

1. 유학 가고 싶은 나라, 독일

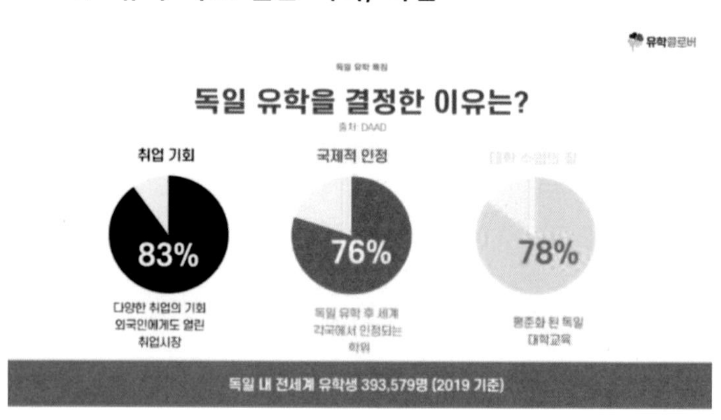

1.1 매년 7천여 명이 독일로 유학을 가는 이유?:

독일은 유럽 내 최대 경제 대국이며, 이코노미 인사이트에 따르면, 전 세계 유학생들이 유학 가고 싶은 나라 Top 3, 그리고 한국인들이 유학 가고 싶은 나라 TOP 6위에 선정되었습니다. 학생들이 독일 유학을 결정한 이유는 크게 세 가지로 나눠 볼 수 있습니다. (위 사진 참고)

특히 독일은 의학, 공학, 인문학 관련 전공에 대해서만큼은 세계적으로 그 수준을 인정받은 대학들을 많이 보유하고 있어서 그쪽 분야로 관심이 있으시거나 고민 중에 있는 학생들에게는 너무나도 좋은 기회가 될 것 같습니다. 또한, 독일 대학의 평준화로 인해, 높은 교육 수준이 보장 되어 있어 대학에서 공부하게 된다면 내 전공 분야에 대하여 깊이 있게 배울 수 있습니다.

수업 방식은 독일어로 수업을 진행하는 것을 기본으로 하지만, 최근 100% 영어로 진행하거나, 기초 수준의 독어와 영어를 병행해서 수업하는 학과들이 많이 개설되고 있습니다. 더불어 최근 캐나다, 미국 등 영어권의 유학 비용이 너무 부담이 되어서 독일에서도 영어로 수업이 가능한지 문의하시는 학부모님들이 많아졌습니다.
독일은 현재 400개 이상의 국공립과 사립 대학교들을 보유하고 있고, 그중 250여개의 국공립 대학교들에 서는 '유학생' 들에게도 학사 및 석사 과정의 학비를 지원해 무료로 수업을 제공하고 있습니다. 대게 유학을 생각할 경우 비싼 학비가 가장 큰 부담으로 다가오지만, 독일 같은 경우는 학비가 없다는 게 가장 큰 장점이자 매력이라고 일 수 있습니다.

1.2 독일 유학 후 외국인이 취업이 가능할까?:

"독일에서 학사 혹은 석사 과정을 마치면 취업이 가능한가요?" 컨설팅 상담을 하면서 가장 많이 받은 질문들 중 하나

입니다.

학생들 혹은 자녀들의 인생을 좌지우지할 수 있는 중대한 결정을 앞두고 이런 질문은 기본 중에 기본이라고 생각합니다. 우선 당연하다고 생각하실 수도 있지만,취업을 위해서는 기본적으로 독어를 잘 해야 합니다. 독어만 잘해도 충분히 취업이 가능하지만, 거기에 기본 레벨의 영어까지 하실 수 있다면 분명히 졸업 후 취업하시는 데 큰 가산점이 될 것이라고 생각이 듭니다. 어느 직종이든 당연히 의사소통이 되어야 일을 할 수 있을 것이고, 대게 유럽 친구들은 언어 습득력이 좋아서 (문법이 같고 비슷한 단어들이 매우 많음) 그 친구들과 경쟁하기 위해선 당연한 부분일 것입니다.

일반적으로 독일에서는 대학 또는 석사 졸업자들에게 독일 내 취업을 장려하고 있으며, 졸업 후 18개월 동안 취업 활동을 할 수 있는 비자를 내어 주고 있습니다. 그러니 졸업 이후 한국으로 바로 돌아와 취업을 하는 것보다는 현지 경력을 쌓은 후 한국으로 돌아오는 것을 추천 드리고 있습니다. 한국 귀국을 원하시지 않는다면, 취업 후 블루카드까지 도전해 볼 수 있습니다. 블루카드는 독일의 영주권과 같은 개념이며, 아무런 제한 없이 취업 및 거주가 가능함과 동시에 사회 복지 혜택까지 누릴 수 있게 됩니다. 또한, 블루카드를 취득하게 되면 다른 유럽 국가에서도 취업 및 거주가 가능해집니다.

대부분의 독일 기업들은 채용 조건에 독어가 포함되며, 그 이외에 학교 성적, 경력 등 다양한 것들을 본다고 생각해 볼 수 있습니다.

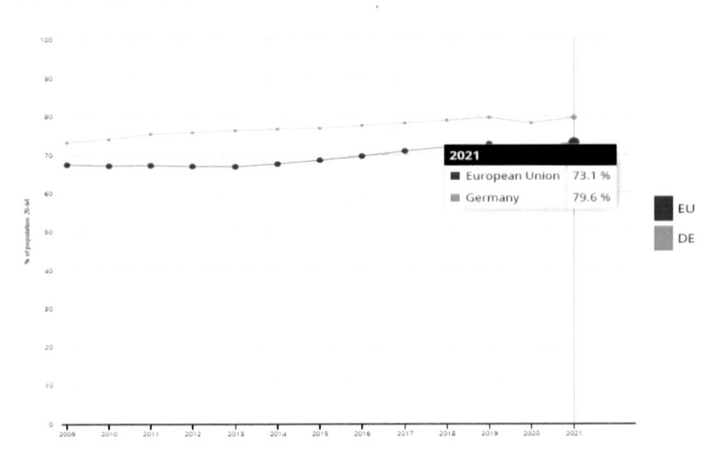

2021년 Europa 고용 현황 통계에 따르면, 독일 내 취업률은 79.6%로 나와 있습니다. 이 수치는 유럽 연합의 취업률 73.1%보다 약 6% 정도 높은 수치를 나타내고 있습니다. 이 수치만 보면 독일인 학생들이나 유럽 연합 학생들만 취업이 잘되는 게 아닐까 생각하실 수도 있지만, 독일인 포함 유럽 연합 학생들의 취업률은 약 91%였으며, 유럽 연합 밖의 외국인 학생들의 취업률은 약 86% 였습니다. 따라서, 외국인 학생들도 언어 소통에 큰 문제가 없다는 가정이 있다면, 졸업 후 취업에도 문제는 없을 것입니다. 위의 수치는 독일 내에서의 취업률이며, 국내에서는 더 좋은 취업률을 보이고 있습니다. 저희 유학원을 통해서 유학하신 분들 중, 졸업 후 국내에서 독일어 선생님, 통-번역가, 공무원 등 다양한 직종에서 근무하고 계시기도 합니다. 또한, 국내의 구인 공고를 통해 독일 현지로 다시 가는 분들도 많습니다. 현재 독일어는 영어보다 희소성이 뛰어나기 때문에 국내에서도 많은 독일어 구사 가능자를 채용하고 있고, 그 필요성은 점점 커지고 있는 추세입니다. 조금만 생각해본다면 대학 졸업 후 취업할 수 있는 루트는 너무나도 많습니다. (아래의 사진은 UE대학에서 제공받은 학생들의 취업 현황입니다.)

독일의 대학들은 여러 기업들과 파트너십을 맺고 있기 때문에, 학사 혹은 석사 과정 이후에 취업하시는 게 더 유리합니다.

1.3 독일 유학 중 아르바이트가 가능할까?:

유학 가고 싶은 나라인 독일의 장점은 학업과 아르바이트 병행이 가능하여 학생들이 많이 선택하는 국가 중 하나라는 것입니다. 물가가 낮은 독일은 생활비도 저렴한 편이지만 현재 독일에서는 학생 비자 소지자들에게도 일할 수 있는 기회를 허락하고 있고, 풀타임으로 1년에 120일 (약 4개월), 파트타임으로는 최대 240일 (약 8개월) 까지 일을 할 수가 있습니다. 물론 거주하고 계신 지역마다 조금씩 다를 수 있으니 더블 체크 해 주시고, 구글에서 Jobben während des studiums + 지역명을 검색하시면 손쉽게 찾을 수 있습니다.

유학 생활을 하면서 학업과 일을 병행한다는 것은 쉽지만은 않지만, 학업에 지장이 가지 않는 선에서 일을 하면서, 생활비에 보탤 수 있으니 분명 큰 장점이 아닐까 하는 생각이 듭니다. 또한, 아르바이트는 어디까지나 아르바이트이나, 관련 전공 분야로 일자리를 구할 수 있다면, 생활비는 물론 졸업 후 취업을 위한 경력까지 쌓을 수 있습니다. 참고로 가끔 독일에 있는 학생분들과 짧게 소통을 하는데, 보통 첫 학기는 적응하는 데 시간을 보내고, 모든 적응이 끝난 두 번째 학기나 2학년 일 학기때부터는 일자리를 알아본다고 합니다. 일자리 정보는 아래에서 찾을 수 있습니다.

- 베를린 리포트 – 한인 커뮤니티 웹사이트이며, '구인/구직' 카테고리에 일자리가 올라옵니다. 다만 한인 전용이라 한인이 많은 도시 위주로 올라오는 게 단점입니다.

- Indeed – 인디드는 세계적으로도 많이 사용되는 구인/구직 웹사이트인데 독일 내에서도 많이 사용합니다. Working Student / Part-time / minijob 과 같은 키워드로 검색하시면 파트타임 일자리만 골

라 볼 수 있습니다.

- Youngcapital – 학생들이 직접 만든 학생들을 위한 구인/구직 사이트이고 독일 뿐만 아니라 유럽 내에서 많이들 사용합니다.

- 오프라인 광고 – 간혹 걷다 보면 대학 게시판이나, 레스토랑, 카페, 도서관 등에서도 구인 광고를 하니 참고하면 좋을 것 같습니다.

- Jobruf – 한국의 '해 주세요'와 비슷한 개념의 구인/구직 사이트입니다. 회원 가입이 쉽고, 단기 혹은 일회성 일자리도 구할 수 있습니다.

1.4 독일 내 인기 TOP 10 대학교 및 유망 전공:

첫 번째 챕터의 마지막으로 유학생분들이 궁금해하실 독일 대학교에 대해 이야기해 보겠습니다. 독일에는 400개 이상의 대학교가 있는데, 그중 10곳을 추려 봤습니다. 이 대학들은 입시 컨설팅을 진행해 오면서 학생분들이 가장 많이 문의하고, 진학하는 순으로 나열했으며, 여덟 곳의 공립 대학과 두 곳의 사립 대학으로 나열했습니다. 간략히 대학 소개를 해 드리고, 각 대학의 인기 전공들을 알려 드리겠습니다.

TOP 10 인기 전공: 컴퓨터 공학, 의학, 생명 공학, 생명 과학, 화학, 스포츠 과학, 심리학, 경영학, 인문학, 국제 관계학

*TU9이란?: 9개의 공과 대학들로 구성된 네트워크이며, 공동 연구 및 협력 프로그램을 통해 독일의 기술분야를 이끌고 있습니다.

TOP 10 대학교:

1. Technische Universität München – 뮌헨 공과 대학교 (공립)

뮌헨 공대는 국내에도 이미 많이 알려져 있고, 독일 유학을 생각해 보신 분들이라면 한 번씩 들어 봤을 것입니다. 이 대학은 바이에른주 뮌헨에 위치해 있으며, 학생 수는 4만 명이 넘을 정도로 인기가 좋은 공립 대학교이고, 독일 명문 공과 대학교 모임인 *TU9에 속해 있습니다. 독일 내 대학 순위 1위에 위치해 있습니다. 인기 전공으로는 공대인 만큼 전자, 기계, 토목, 건축, 컴퓨터 공학, 물리학 등이 있습니다.

2. Aachen University of Technology – 아헨 공과 대학교 (공립)

아헨 공대는 노르트라인-베스트팔렌 주 아헨에 위치해 있습니다. 이 대학도 TU9에 속해 있으며, 세계적으로도 명성이 높습니다. 아헨 공대는 학부 과정 중에 많은 실습을 포함하여 졸업 후 취업 시에 유리하게 하고 있습니다. 인기 전공으로는 수학, 화학, 물리학, 전기와 전자, 기계, 토목 등이 있습니다.

3. Ludwig-Maximilians-University of Munich – 뮌헨 대학교 (공립)

바이에른주 뮌헨에 위치해 있는 뮌헨 대학교는 독일 내에서 두 번째로 학생 수가 많은 대학으로써, 약 5만 명 이상의 학생들이 등록되어 있습니다. 유럽 전역에서도 손꼽히는 명문 대학으로 평가받고 있으며, 뮌헨 공대와 함께 대학 순위 1, 2위를 다투는 대학입니다. 인기 전공으로는 경제학, 의학,

법학, 자연 과학, 심리학 등이 있습니다.

4. University of Freiburg – 프라이부르크 대학교 (공립)

프라이부르크 대학교는 바덴뷔르템베르크주 프라이부르크에 위치해 있습니다. 독일에서 다섯 번째로 오래된 대학이며, 2만 명 이상의 학생들이 등록되어 있습니다. 2018년도에는 독일 대학 순위 2위까지 오르면서 수준 높은 교육을 선보이고 있습니다. 인기 전공으로는 심리학, 뇌 과학, 예술과 인문, 문학 등이 있습니다.

5. Heidelberg University – 하이델 베르크 대학교 (공립)

바덴뷔르템베르크주 하이델베르크에 위치해 있으며, 많지는 않지만 영어로도 수업 진행을 하고 있습니다. 하이델베르크 대학은 유럽 내에서도 높은 명성을 자랑하고 대학 순위도 상위권에 위치해 있습니다. 인기 전공으로는 정신 의학, 심리학, 물리학, 수학 등이 있습니다.

6. Goethe-Universität Frankfurt am Main – 괴테 대학교 (공립)

괴테 대학은 한국인들이 가장 많이 거주하고 있는 헤센주 프랑크푸르트에 위치해 있으며, 총 4개의 캠퍼스를 통해 약 170개의 많은 학사 및 석사 과정을 제공하고 있습니다. 인기 전공으로는 의학, 철학, 경영학, 경제학, 법학, 역사학, 등이 있습니다.

7. University of Stuttgart – 슈투트가르트 대학교 (공립)

바덴뷔르템베르크주 슈투트가르트에 위치한 대학이며, 슈투트가르트 대학도 TU9에 속한 대학 중 하나 입니다. 독일에서 공학 및 기술 분야에서 대학 순위 7위까지 오르며 수준 높은 교육을 자랑합니다. 인기 전공으로는 건축, 컴퓨터 공학, 물리학, 화학 등이 있습니다.

8. Free University of Berlin – 베를린 자유 대학교 (공립)

베를린 자유 대학교는 베를린에 위치해 있습니다. 이 대학에 있는 한국학과에는 한국 문화에 많은 관심을 갖고 있는 독일 학생들이 있어, 한국 유학생분들이 조금 더 쉽게 적응할 수 있는 기회가 있다고 생각합니다. 베를린 자유 대학은 정치학, 인문 과학, 사회 과학, 자연 과학 연구에 중점을 두고 있습니다.

9. University of Europe for Applied Sciences (UE) – 유럽 응용 과학 대학교 (사립)

유럽 응용 과학 대학교는 베를린에 위치해 있고, 독일 사립 대학 상위 Top10에 랭크 되어 있습니다. 사립 대학으로 학비가 존재하지만, 다양한 방법들로 학생들에게 장학금 혜택을 제공하고 있습니다. 이 대학은 졸업 후 취업에 용이하고, 영어로 수업을 받을 수 있는 학부들이 다양합니다. 학비는 전공마다 다르지만, 일반적으로 학기당 약 5,000유로입니다. 인기 전공으로는 경영학, 디자인, IT 관련 등이 있습니다.

10. German International School of Management and Administration (GISMA) – 기즈마 대학교 (사립)

기즈마 대학은 하노버 및 베를린, 함부르크에 위치해 있는 사립 비즈니스 대학입니다. 이 대학에서는 어학 과정부터 석사 과정까지 다양한 프로그램을 제공하고 있습니다. 특히, 기즈마의 어학원은 대학 진학을 목표로 커리큘럼이 짜여져 있고, 대학 진학을 목표하는 학생들이 많이 지원하고 있습니다. 기즈마는 다른 사립 대학들과는 다르게 진학 커트라인이 높게 형성 되어 있습니다. 학비는 학기당 약 5,000 유로입니다. 전공마다 다를 수 있으니 한번 더 확인해 보길 바랍니다.

※모든 대학 사진들의 출처는 각 대학들에 있습니다※

국공립과 사립 대학 중 고민하시는 분들을 참고해 주세요!

국공립 VS 사립 대학교

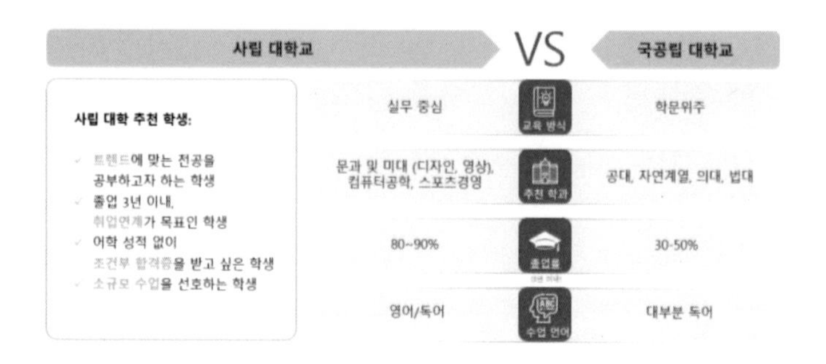

2. 독일 유학 비용

2.1 가성비 갑 독일의 생활비는 얼마나 들까?:

독일 유학에 필요한 비용도 많이 궁금해하시는 것들 중에 하나이지만, 동시에 말씀드리기 곤란한 질문들 중 하나이기도 합니다. 씀씀이가 학생들마다 다르고, 거주하는 주 또는 도시마다도 조금씩 물가가 다르게 형성되어 있기 때문입니다. 저희는 독일 유학생분들이 컨설팅을 진행하면서 발생되는 기본적인 실비와 세부 비용을 세부적으로 안내하고 있습니다. 대략적으로 현지 생활비로 식비 200유로~ / 교통비 45유로~ / 대학 교재 20유로~ / 공과금 45유로 ~ / 기타 80유로~ 정도로 월 기준 평균 생활비 입니다. 생활비는 개인마다 크게 상이할 수 있습니다.

독일 대학 입학부터 초기 정착 비용, 현지 생활비에 대한 감이 어느 정도 잡힐 거라는 생각이 듭니다. 주 별로 물가가 다르긴 하지만, 통상 학생들이 월에 모든 의식주 및 용돈을 해결하는 비용을 약 150만 원 정도로 예상하시면 될 것 같습니다.

밑의 테이블표는 Numbeo에서 (전 세계 물가 비교 웹사이트) 비교한 서울과 베를린의 물가입니다. 참고하시면 좋을 것 같습니다. 각 나라의 수도인 베를린과 서울을 비교했으며, 각 도시는 물가가 가장 높게 형성 되어 있는 도시입니다. 베를린이 아닌 타 도시로의 유학을 생각하고 있다면, 보다 적은 생활비를 지출할 수 있습니다. 외식비는 베를린이 높지만, 식료품 가격은 서울보다 훨씬 저렴하기 때문에 집에서 요리를 직접 해먹는다면, 많은 생활비를 아낄 수 있습니다.

2.2 독일 대학교 정말 학비가 0원일까?:

독일 대학은 세계적으로 평판이 좋고, 유럽에 속한 국가이기 때문에 물가가 많이 비쌀 것이다 라는 느낌을 많이 받습니다. 그렇기 때문에, 독일 대학이 무료라 이야기해도 아직까지 믿지 않는 분들이 많이 있습니다.

독일 대학은 사립과 국공립으로 나누어져 있습니다. 국공립이라면 대부분의 대학교가 학사 및 석사 과정까지도 무료로 제공되는 게 맞으며, 소정의 행정비만 납부하고 있습니다. 학교 시설 이용, 교통 카드 등이 포함된 행정비는 한학기에 약 30만 원 정도 됩니다. 하지만 예외도 있습니다. 독일 바덴뷔르템베르크주의 국공립 대학교는 비 유럽권 국가 출신 유학생들에게만 등록금을 받고 있고, 등록금은 한 학기당 1500유로 (약 200만 원) 입니다. 바덴뷔르템베르크주에는 슈투트가르트, 프라이부르크, 카를스루 공대 등이 위치해 있습니다.

사립 대학의 경우 학교나 전공에 따라 상이하지만 한 학기당 400만 원 ~ 800만 원 정도 수준의 학비가 발생됩니다. 이 금액은 한국 사립 대학들과 비슷한 수준으로 보이며, 타 선진 국가들과는 비교가 안 될 정도로 저렴한 수준이기도 합니다.

정리를 해 보자면, 독일의 바덴뷔르템베르크주의 대학들을 제외한 나머지 국공립 대학들은 무료가 맞으며, 예외로 등록금이나 학비를 내게 된다 해도 한국 사립대보다 저렴하거나 비슷한 수준으로 독일로 유학을 할 수 있다는 건 독일 유학의 가장 큰 메리트라 볼 수 있습니다.

3. 독일 대학 및 대학원 입학 조건

3.1 내 성적으로 독일 대학에 입학 가능할까?:

기본적으로 독일의 대학에 입학하기 위해선, 수능점수가 필요로 합니다. 수학, 언어, 사회 또는 과학 과목에서 최소 5등급 이상이 되어야 하고, 총 평균 4.4등급 이상이 된다면 대학에 바로 입학이 가능합니다.

- 고등학교 1~3학년을 이수
- 수능 평균 4.4 등급 이내 → 독일 대학교 1학년 입학가능

위의 조건들을 충족한 학생분들이 독일로 유학을 희망한다면 대략 어학연수 1년후에 독일 대학에 진학이 가능해집니다. (독일어로 전공수업이 진행 되는 경우).

수능성적이 4.4등급 내로 들어오지 않는다면:

- 대학교 1학년 35학점 이수 후 유사전공으로 독일대학교 1학년 입학 가능

- 전문대 졸업 후에 유학을 희망한다면, 독일 대학 1 학년으로 입학이 가능합니다.

※대학 입학 후 독일 대학에 지원 시, 같은 전공 혹은 유사 전공으로만 입학 가능합니다※

만약 고등학교 성적 조건이 맞지 않고, 대학에도 진학을 하지 않았거나, 대학에서 하고 있는 전공과 다른 전공으로 독일 대학에 진학하고 싶다 해도 너무 낙심하지 마세요. 독일 대학에 문의해 추가로 자소서 및 이력서나, 포토폴리오 등을 제출해 가산점 받고 입학할 수 있는 방법들이 있습니다. (학교나 전공마다 다를 수 있음). 유학원에서도 입학 조건에 맞지 않지만 (검정고시, 수시합격자 등) 다양한 방법으로 입학한 사례가 많이 있습니다. 전문가에게 상담을 받아 보시는 것을 추천 드립니다.

3.2 내 성적으로 독일 대학원에 입학 가능할까?:

이번엔, 대학원에 대해서 이야기해 볼게요. 독일의 석사 과정은 학사 과정과 비슷한 커리큘럼을 가지고 있습니다. 다만, 연구나 프로젝트 부분에서 좀 더 자유롭게 진행하면서 학생들의 시야를 넓힌다는 게 석사 과정의 포인트라고 볼 수 있습니다. 석사 과정의 학생들은 전공 분야 에서보다 많은 경험과 전문성을 쌓으면서 졸업 후 취업에 유리한 위치를 선점하고 있습니다.

독일 대학원 입학 조건의 경우, 독일에서 인정하고 있는 한국 대학의 학사를 이수한 경우 유사 전공으로 독일 대학원 입학이 가능합니다. 단, 본인의 대학이 독일에서 인정받는 학교인지 확인이 필요합니다.

학사를 이수하신 분들은 아나빈 (Anabin.kmk.org) 에서 본인 대학이 독일에서 인정받을 수 있는지 확인할 수 있습니다. 독일어로 되어 있는 웹사이트지만, 브라우저 내에서 한국어로 번역하기 하면 한국어로 쉽게 볼 수 있습니다. 외국대학도 검색할 수 있으며, 국내 대학과 마찬가지로 독일에서 인정하는 대학에서 학사를 이수한 경우에만 인정될 수 있습니다.

독일에서 인정하고 있는 대학교는 H+로 표시하고 있고, 추가 기준 충족을 필요로 하는 대학들은 H+/- 로 표시하고 있습니다. 인정이 되지 않는 경우 H-로 표시하고 있습니다. 본인의 학교가 H+/-인 경우에는 Uni-Assist라는 기관을 거쳐 따로 심사를 받을 수 있습니다. H+/- 대학의 경우 독일 대학교마다 자체적으로 기준을 가지고 있으므로 학교마다 다르게 평가될 수 있습니다.

※내 대학교가 독일에서 인정되는지 확인하는 방법※

1. Anabin.kmk.org 주소를 따라 아나빈에 접속 후

2. 왼쪽 카테고리에서 기관

3. 구하다 → 국가 선택에서 한국을 선택하면 국내 대학 리스트가 나옵니다. 혹은 검색창을 이용해 학교명을 바로 검색할 수 있습니다. 해외 대학 재학/졸업생 분들도 같은 방법으로 나라 선택만 다르게 해서 확인하면 됩니다.

학점 은행제, 사이버 대학 등은 Status (상태)가 H- 또는 H+/- 인 경우들이 많이 있습니다. 전문대 졸업 후 학점 은행제 또는 사이버 대학 등을 통해 학사 학위를 취득한 경우에는 독일 대학원 입학 조건에 부합하지 않는 것으로 생각될 수 있으나 저희 유학원에서는 전공에 따라 다양한 합격 사례가 있었기 때문에 개인의 조건에 따라서 대학원 진학이 가능할 수 있습니다.

※아래의 사진에서 독일 대학교 입학 조건을 참고해보세요
※

외국인학생 교육제도에 대한 ANABIN 기관의 대학입학자격 평가기준 (2022.3.15)

Ⅰ) **최종학력조건: 고등학교의 성적증명서**

고등학교구분: 일반고등학교, 자율고등학교, 특수목적고등학교

이수교과목: 과학, 예술, 체육, 외국어, 국제

※평가기준:

1. KOR-BV06

평가기준:

①수능성적 수학, 언어, 사회 또는 과학에서 각각 최소 5 이상

②수능성적 총 평균 4,4 이상

위 조건이 모두 충족할 경우, 대학에 바로 입학 가능

⇩ ⇩ ⇩

2. KOR-BV07

조건: KOR-BV06에 충족하지 않을 경우에 해당

평가기준:

①4년제 H+대학의 1학년 35학점 이수

위 조건이 충족할 경우, 유사전공의 대학에 바로 입학 가능

3. KOR-BV08

조건: 전문학사를 이수한 경우

평가기준:

①최소 2년제 대학의 전문학사 이수

위 조건이 충족할 경우, 유사전공의 대학에 바로 입학 가능

Ⅱ) **최종학력조건: 직업고등학교의 성적증명서** 직업고등학교구분: 특수목적고등학교, 특성화고등학교
4. KOR-BV09 조건: 특수목적고등학교, 특성화고등학교를 이수한 경우 평가기준: **①4년제 H+대학의 1학년 35학점 이수** **위 조건이 충족할 경우, 유사전공의 Studienkolleg 입학 가능** ②4년제 H+대학의 2학년 70학점 이수 위 조건이 충족할 경우, 유사전공의 대학에 바로 입학 가능
5. KOR-BV10 조건: 특수목적고등학교, 특성화고등학교를 이수한 경우 평가기준: ①최소 2년제 대학의 전문학사 이수 위 조건이 충족할 경우, 유사전공의 대학에 바로 입학 가능
Ⅲ) **최종학력조건: 학사졸업**
6. KOR-BV-Bachelor 조건: 최소 4년제 학사과정 졸업 위 조건이 충족할 경우, 유사전공의 대학원에 입학 가능

위는 가장 최근에 업데이트된 외국인 학생 교육 제도에 대한 ANABIN 기관의 대학 입학 자격 평가 기준이니 참고해서 현재 본인의 자격 요건이 부합하는지, 부족하다면 무엇이 추가로 필요한지 생각해 볼 수 있습니다.

3.3 검정고시로 독일 대학 입학 가능할까?:

유학원에서 컨설팅을 진행해 오면서, 검정고시 졸업자도 독일 대학에 입학이 가능하냐는 질문을 정말 많이 받음과 동시에 많은 분들이 찾아 주셨습니다. 실제로 저희 유학원에서 검정고시 졸업자들을 독일 대학에 합격시킨 사례도 있습니다. 독일 대학은 전공 불문 검정고시만으로는 지원자체가 불가하지만, 수능 응시 후 점수를 만들어 지원하는 것도 하나의 방법이라 생각해 볼 수 있습니다 (등급이 낮아도 무관). 수능 없이 입학을 한 사례도 있긴 하지만 개인의 상황에 따라 가장 합격률이 높은 방법으로 준비를 하는 것이 좋을 것 같습니다. 가장 진학률이 높은 예체능 분야는 대부분 실기 위주라서 검정고시 졸업자 분들도 충분히 도전해 볼 수 있습니다. 이 부분은 희망하시는 대학 및 전공에 따라 준비 방법이 달라지기 때문에 많이 알아보고, 여러 유학원에서 전문가에게 상담을 받아 보는 것을 추천드립니다.

4. 독일 대학교에 입학하려면 언제부터 준비해야 할까?

4.1 독일 대학 원서 접수 및 입학 시기 (대학교):

독일 대학 입학 준비 기간은 현재 본인의 조건 및 독일어 능력에 따라 크게 차이가 나기 때문에 개인마다 다를 수 있습니다. 독일 대학교 입학을 위해서 언제부터 준비해야 하는지 타임라인을 잡기 위해서는 먼저, 독일 대학교의 원서 지원 시기 및 독일 대학교 입학 일정을 알아야 합니다. 독일 대학들은 겨울 학기, 여름 학기로 나누어져 있습니다.

대학이나 전공에 따라 조금씩 다를 수 있으나, 보통 겨울 학기 입학 시기는 9월~10월 입니다. 따라서 원서 지원 시기는 5월부터 시작해서 7월까지입니다. 여름 학기의 입학 시기는 3~4월이며, 원서 지원은 11월부터 시작해서 1월에 마무리가 됩니다. 독일에서는 일반적으로 겨울 학기에 학생들이 많이 입학하며, 학교 측에서도 여름 학기보단 겨울 학기에 더 많은 정원을 만들고 있습니다. 또한, 여름 학기엔 원서 지원을 아예 받지 않는 전공들도 많으니, 꼭! 우선적으로 희망하는 대학과 전공을 선정하고, 그에 따라 원서 지원 및 입학 시기를 맞추어 지원을 해야 합니다. 따라서, 지원 시기에 따라 어학 시험 일정도 생각해 볼 수 있습니다. 독어는 A1부터 C1까지의 단계가 있으며, 보통 한 단계를 통과하는 데 2달 정도가 소요되고, 총 5단계가 있습니다.

4.2 독일 대학 원서 접수 및 입학 시기 (대학원):

석사 과정은 일반적으로 여름 학기는 1월 15일까지, 겨울학기는 매년 7월 15일까지로 학사 과정과 비슷하지만, 대학마다 매우 상이합니다. 전공에 따라서 여러 차례의 입학 심사를 거치는 경우 1년 전에 원서 지원을 마감하기도 합니다. 각 독일 대학교의 웹사이트에서 모집 요강 및 지원 마감일 확인이 반드시 필요합니다. DADD (German Academic Exchange Service)라는 웹사이트를 통해서도 대략적인 독일 대학교들의 정보와 입학 일정들을 확인할 수 있습니다. 석사 과정의 기간, 학위 종류, 지원 절차, 전공 및 랭킹까지 검색이 가능합니다.

4.3 원서 지원을 위한 골든 타임라인:

위에서 어학 준비부터 원서 지원까지의 기간을 대략 설명해 드렸지만, 그 외에 필요한 서류들을 준비하기 위한 타임라인도 설명해 드리겠습니다.

예시로 유학 클로버 입시 컨설팅을 통해서 원서 지원을 하는 경우를 들어 보겠습니다.

Step 1. 첫 번째로 학생들과 대학 컨설팅을 약 2-3달간 진행합니다. 이 단계에서 가장 많은 소통이 필요하며 학생의 성적, 희망 대학, 희망 전공에 따라서 함께 고민하고 목표하는 대학을 선정해 갑니다. 신중해야 하고 매우 중요합니다.

Step 2. 목표하는 대학에 필요한 서류 및 가산점, 합격률을 높일 수 있는 방법들을 안내하고 있습니다. 보통 독일 대학에 지원할 때 고등학교/대학 성적표, 신분증, 졸업장 등 공통되게 필요로 하는 서류들이 있고, 개인마다 추가로 요구되는 서류들이 있습니다. 경우에 따라 번역 및 공증도 해야 되기 때문에 서류 준비 단계에서는 약 2~3개월 정도의 시간이 소요됩니다.

Step 3. 원서 지원 시기 3달 전에 (겨울 학기: 2월, 여름 학기 9월 경 해당) Uni-Assist 심사를 진행합니다. 독일 대학 중, 원서 지원 전에 Uni-Assist라는 기관을 통해서 VPD (사전 서류심사)를 받아야 하는 학교들도 있기 때문입니다. 심사 결과까지의 기간도 최대 2개월정도로 상당합니다. 그렇기 때문에 원서 지원 3달전에 심사 신청을 진행하고 있고, 원서 지원까지 약 7~8개월 정도의 준비 기간을 필요로 합니다. 일반적으로 저희 유학원에서는 학생들이 최대한 독어 습득에 집중 할 수 있게, 원서 지원은 저희가 해 드리고 있습니다. 따라서, 서류 준비 기간에 독어 공부를 동시에 진행합니다. 저희와 함께 입시 컨설팅을 받고 계시는 분들은 최소 1년에서 여유롭게는 1년 6개월이라는 준비 기간을 거쳐 입시를 준비하고 있습니다. (독어가 처음일때).

가끔 혼자서 모든 걸 준비하는 분들도 있지만, 정보를 찾아보고 직접 준비하는 데에 상당한 시간을 필요로 하고, 공부와 함께 준비해야 하기 때문에 많은 오류가 발생합니다. 원서 지원 도중에 서류 누락 혹은 실수 때문에 예정보다 한 학기, 길게는 일 년이나 미뤄지게 되는 경우도 많이 봤습니다. 그렇기 때문에, 혼자서 준비하실 분들은 꼭 많이 알아보시고 시간적 여유를 가지고 천천히 준비하시는 게 좋습니다.

★요약★

유학 클로버 입시 컨설팅을 통해서 준비하는 경우 ☞ 최소 1년 전 (독어), 최소 7-8개월 전 (영어)

혼자서 준비하는 경우 ☞ 최소 2년 전 (독어), 최소 1년 반 전 (영어)

겨울 **학기**

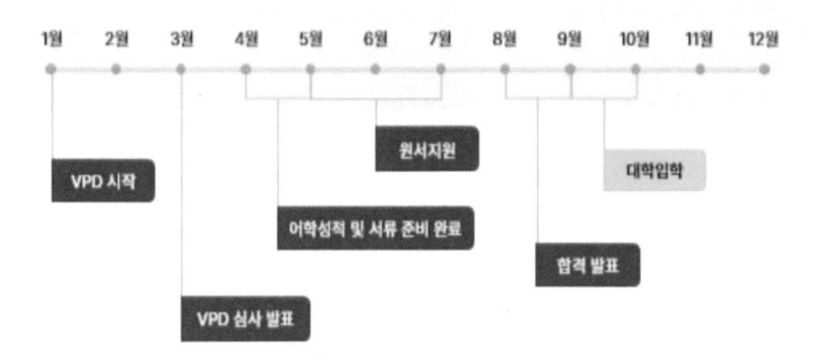

여름 **학기**

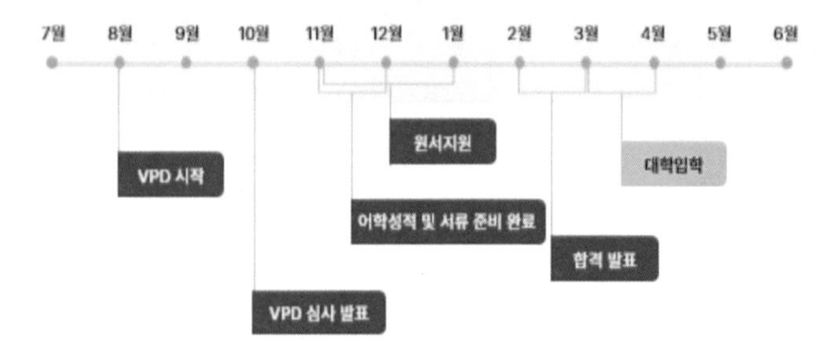

시간이 얼마 남지 않은 분들도 너무 걱정 마세요. 원서 지원이 급하게 필요하거나, 준비 기간이 길지 않은 학생들도 개인 맞춤으로 맞추어 컨설팅해서 원서 지원까지 꼼꼼하게 챙겨서 도움 드리고 있습니다.

※개인 조건에 따라 속성 컨설팅으로 3개월만에도 가능합니다※

5. 어렵다는 독일어 효과적으로 배울 수 있는 방법은?

독일 대학에 입학하기 위해서 평균적으로 필요한 독일어 점수는 C1레벨입니다. 독일 대학에서 인정해 주고 있는 여러 가지 공인 독일어 시험이 있는데, 그 예로는 괴테, DSH, Testdaf 그리고 Telc hochsule가 있습니다. 이 중에서도 모든 대학에서 인정하고 있는 공인 어학 시험은 Testdaf 시험입니다. 괴테, DSH, Telc Hochsule의 경우 모든 대학들이 동일한 점수를 요구하지 않을 수도 있기 때문에 Testdaf로 준비하시는 것을 추천드립니다.

저희 유학 클로버 아카데미(U:CA) 에서는 국내 유명 대학 독어 전공 교수님을 초빙해 학생들에게 소규모 속성 그룹 과외를 진행하고 있으며, 스터디 모임도 만들어 출국 시기가 비슷하거나 같은 대학 및 지역으로 가는 학생들을 모아 간략히 현지 생활 및 주의 사항에 대해 설명 드리고 서로 인사하고 정보 공유를 하는 취지로 자리를 마련하고 있습니다.

학생들에게 저희 B1까지의 기초 레벨을 유학 클로버 아카데미에서 제공하고(기본 소통 및 현지 정착을 위해), 독일 현지에서 최종적으로 중급 레벨인 B2부터 대학에서 요구하는 C1레벨을 취득하는 것을 추천하고 있습니다. 이 방법은 최단기간에 C1 레벨을 취득할 수 있는 방법이라 생각되고, 많은 학생들이 하고 있는 방법입니다. 독일어 기초가 잘 다져진 이후에는 현지에 노출되어 다양한 어휘와 회화, 현지인들과의 회화를 통해 독일어 스킬을 늘리는 것이 가장 효율적입니다.

저도 그랬던 것처럼 아무것도 모르고, 아무 말도 할 줄 모르는 상태에서의 타지 생활은 너무 막연하고 두려움이 생기는 일입니다. 그러다 보면 현지인과 대면하는 게 무서워지고 어쩔 수 없이 현지에 있는 한국인들에게 의지할 수밖에 없고, 자연스럽게 그들과 어울리게 됩니다. 결과적으로 언어는 전혀 배우지 못하고 국내에 있을 때와 큰 차이를 만들어내지 못합니다. 물론, 타지 생활을 하면서 의지할 사람이 필요하기는 합니다. 어렸을 적 타지 생활을 했던 제게 많은 후회를 남긴 일들 중 하나가 아무런 기초 없이 떠났다는 것입니다. 그렇기 때문에, 유학원에서 컨설팅을 진행하면서 국내에서 독일어에 대한 두려움을 없애고, 기본적인 것들만이라도 공부해서 떠난다면 현지에 도착했을 때 현지인과 대면해도 무서움이 없고 기본적인 대화를 했을 때 더욱더 언어 습득에 재미를 느낄 것이라고 자신 있게 얘기할 수 있습니다.

모든 언어가 그렇겠지만, 국내에서는 외국어를 실직적으로 쓰고 들을 기회가 많이 주어지지 않아 언어 습득이 너무나 힘들고, 학습 커리큘럼은 너무 느리게 설정되어 있습니다. 그럼에도 불구하고, 국내에서 모든 자격을 갖추고 출국을 원하는 학생들도 있지만, 저희는 이 루트가 대학 입학 전에 현지 적응을 위해서라도 더 나은 방법이라고 생각합니다. 선택은 본인 몫입니다.

6. 실패 없는 독일 대학교 원서 지원 하는 방법은?

6.1 필요 서류 및 대사관 공증 절차:

독일 대학 지원 시 공통적으로

- 신분증(여권)
- 고등학교/대학교 성적표
- 고등학교/대학교 졸업장
- 수능 성적표
- CV (이력서) / Motivation Letter (지원동기서)

등을 독어/영문으로 번역 후 공증을 받은 수능 성적표 서류가 필요합니다. 이외에 지원하는 학과의 추가 가산점이 필요하신 분들은 추가 서류 또한 마찬가지로 독어/영문으로 번역 후 공증을 받으시면 됩니다. (CV와 Motivation Letter는 별도의 공증이 필요하지 않습니다).

유학 클로버에서는 학생들의 편의를 위해 번역 및 공증 서비스까지 도와드리고 있습니다. 유학원내에 이 업무만을 담당하시는 분이 계시며, 직접 번역 후 대사관 공증까지 해드리고 있습니다. 또한, 대학 원서 지원 목적인만큼 그동안 쌓아 온 노하우로 실수 없이 빠른 시간 내에 준비해 드리고 있습니다.

혼자서 하시려는 분들은 우선, 독일어 번역을 맡겨야 합니다. 간혹 영어로 진행하시는 분들도 계시지만, 원칙적으로는 모국어가 영어가 아닌 나라의 경우 독어로 번역된 서류를 공증받게 되어 있습니다. 네이버에 번역을 검색하시면 너무나도 많은 업체들이 검색되지만, 그 중에서 제대로 된 업체를 선별해서 고르셔야 합니다. 무턱대고 맡겼다가, 엉터리로 번역을 해 주는 곳들도 적지 않습니다. 대학 원서 지원을 하기 위한 서류인데, 번역이 잘못됐을 시, 불합격됩니다. 따라서, 업체를 고를 때엔 신중히 골라 주세요. 이렇게 서류를 번역하셨다면, 독일 대사관에서 공증을 받아야 하는데, 이 과정에서 또한 독일 대사관에서 원하는 방식으로 처리되지 않을 시, 번역 업체를 통했다고 해도 공증이 거절될 수 있으니 유의하셔야 합니다.

대사관 공증을 위하여 방문할 때는 사전에 대사관 사이트에서 공증 예약을 해 주셔야 합니다. 공증 기간은 개인마다 상이한데 최대 일주일 생각하고 여유 있게 진행 하셔야 합니다. 따라서 번역과 공증을 모두 진행 시, 총 2주 정도의 시간 여유는 갖고 해야 합니다.

독일에서 어학부터 시작하시는 분들은 대학 원서 지원 전에 현지에서 직접 공증을 받는 경우가 있는데, 이때 비용적인 부분과 시간적으로도 크게 아낄 수 있으니, 어학을 위해 먼저 출국하시는 분들은 현지에서 공증받는 걸 추천 드립니다.

6.2 원서 지원 절차:

독일에 원서 지원을 하기 전에 대학교에서 사전 심사를 요구하는 경우들이 종종 있습니다. 사전 서류 심사를 대학교 자체에서 진행하기도 하고, Uni-Assist의 기관을 통하여 심사를 받도록 하기도 합니다. 사전 서류 심사는 통상 6주 ~10주까지 걸리며, 심사가 완료된 후 정식 원서 지원이 가능하기 때문에, 원서 지원 전에 이 절차를 거칠 수 있도록 시간적 여유를 가지고 준비하시는 게 가장 중요합니다. 유학 클로버에서는 원서 대행 절차도 해 드리고 있어서, 5월 원서 지원 시기가 되면 저희에게 원서 대행을 의뢰하시는 분들이 종종 있으신데, 만약 지원을 하려는 학교가 사전 서류 심사가 필요한 학교인 경우, 원서 지원 시기를 놓쳐 지원을 할 수 없게 됩니다. 그러니 반드시 내가 지원하려는 학교가 사전 서류 심사가 필요한 곳인지, 원서 마감일은 언제 인지 확인하고 계획적으로 원서를 지원하시는 것이 가장 중요합니다.

원서 지원 시기 내에 모든 서류가 준비되었고 사전 서류 심사가 필요한 대학이다 하면, 성적 서류 제출 ☞ Uni-Assist 사전 서류 심사 ☞ 대학 원서 지원 (심사 합격증 제출) ☞ 결과 발표 순으로 진행되게 됩니다. 반면에 대학교 홈페이지에서 직접 지원하게 된다면, 성적 서류 제출 ☞ 대학교로 직접 지원 ☞ 결과 발표 순으로 진행됩니다.

Uni-Assist를 통해 사전 서류 심사를 받아야 하는 학과나 대학들은 비교적 많지 않지만, 본인이 희망하는 대학이 필요로 한다고 하면 꼭 시간적 여유를 갖고 진행해 주세요.

6.3 원서지원시 CV (이력서) / Motivation Letter (지원동기서) 팁과 샘플:

독일 대학에 지원할 때 필요한 이력서와 지원 동기서를 작성해야 되는데, 많은 학생분들이 이 부분에서 어려움을 겪고 있고, 또 많은 시간을 쏟고 있습니다. 따라서, 이력서와 지원 동기서에 대해 작은 팁과 샘플을 제공하면 보다 수월하게 적을 수 있을 거라 생각합니다.

지원 동기서는 대략 A4 사이즈로 한 페이지 정도 적으면 되는데 (학교마다 다르니 체크 필수) 구조 (Structure)에 맞춰서 글을 써야 엄청나게 많은 양의 지원 동기서를 읽는 사람 입장에서 읽기가 수월하고 잘 쓴 것처럼 보입니다.

1. 인사말과 자기소개 (Introduction)
2. 왜 독일인지 / 이 학교에 다니고 싶은 이유 / 대학 학부를 통해 무엇을 배우고 싶은지 / 인상 깊었던 수업 등 (Body 2~3개)

   2.1 Body 1

2.2 Body 2

2.3 Body 3

3. 마무리 인사말 (Conclusion)

일반적으로 지원 동기서는 이렇게 구조가 짜여지는데, 대부분 1번과 3번은 큰 문제 없이 잘 쓰는 편입니다. 하지만, 2번 Body 부분에 내가 왜 독일을 선택했고, 이 학교를 다니고 싶은지를 명확하게 적어 주지 못합니다. 많은 학생분들이 어려워 하는 부분이기도 한데 간혹 글자 수만 채우려고 정작 지원 동기에 대해서는 아무 내용이 없는 지원 동기서들도 있습니다. 지원 동기서에는 자신만의 경험과 스토리를 작성하는 게 가장 설득력 있고, 적기도 쉽습니다. 처음부터 영어나 독어로 쓰려면 어려울 수 있으니 국문으로 적고 후에 독어나 영어로 바꾸면 조금 더 수월하게 적을 수 있고, 언어 시험이 아니기 때문에 모든 문법이나 문장을 완벽하게 적어야 할 필요는 없습니다.

이력서는 비교적 간단합니다. 본인이 국문의 이력서를 가지고 있다면, 그걸 독어/영어로 번역하면 되고, 국문으로 된 이력서가 없다면 아래의 샘플을 보고 따라 만드시면 됩니다. 이력서에는 이름, 연락처, 학력, 경력은 필수이고, 자격

증, 봉사 활동, 동아리 활동 등 추가적으로 어필할 수 있는 것들을 넣어 주는 것도 좋습니다.

※아래의 샘플들은 독일 대학에서 실제로 제공받은 샘플들입니다. 참고만 부탁드려요!

Motivation Letter #1

#SAMPLE

성명

주소:
Mobile
E-mail

6th Dec 2021

Dear Sir or Madam,

I am hereby applying for entrance to Master of Science in Information Systems (IS) at the University of Münster for the 2022 summer semester. I believe my work experience and educational background have a strong connection with this program.

First of all, I graduated from the University of Ulsan with a bachelor's degree in global business in 2021. During my university life, I was interested in courses and subjects related to logistics and information management. Therefore, after graduation, I worked as a staff at the Logistics Management Department of Narin Promotion for 7 months from May to December 2021. Usually, my role was to analyze data to coordinate the production schedule and the delivery method. Therefore, I had a lot of opportunities to face and solve unexpected logistics-related problems. In the process of managing these issues, I realized that systematic information management eventually leads to efficient company operation. Also, the more I continued to work, the more passionate I became in this field. My goal is to become an expert in logistics and information management. Therefore, I decided to build more knowledge and skills in an academic way through a Master's degree program.

The reason why I chose Germany to study is that it is a technically advanced country. Among the Master's degree programs provided by universities in Germany, I was convinced that Information Systems (IS) program is best for my career in the future because it can combine tracks that I want to specialize which are Information Management and Logistics, Production & Retail. In addition, I believe that opportunities are endless in information systems since we are living in a globalized, digitalized society. After completing this program, I strongly assure that I can make a significant contribution to the University of Münster and the local community.

Thank you for considering my application and I hope to receive a positive reply.

Sincerely,

서명

Motivation Letter #2

 # Sample

Name:

Address:

University Stuttgart

Gschu. –Scholl-Str. 24B 70174 Stuttgart

Seoul, the 22 July 2018

Mechanical Engineering

Dear Sir or Madam.

I apply for mechanical engineering as a master's degree. I studied eight semesters of Mechanical engineering at Konkuk University and worked for six months as an intern at the Continental through 'IPP program' with Konkuk University, both in South Korea. This February I completed my bachelor's degree. During my university years and intern ship, I got much passion for automobile than before. Therefor now I would like to study further at Friedrich-Alexander University.

At the internship I worked at R&D department that design mobile A/C line. I gained a lot of experience and practical knowledge. In Continental, I led and participated in some projects that would apply to real business. I led a kick off project of 'CO_2 mobile A/C system, a next generation refrigerant for A/C' to Continental Korea and participated in design/modeling of HKMC(Mega Truck), LG electric(commercial vehicle), SYMC(A200,X150) projects. And I learned how to work with other areas.

During my university years, I joined a car club for students. In the club, I was the driver and the engineer at the same time who designed structure for heat emission and anti-water of electric motor. I was also involved in a successful project that collaborated with product design. And I designed a new mechanism of internal combustion engine, called Quad-head engine system to reduce the energy loss from the power transfer of the existing engine and eventually acquired patent rights for the technology. Although this technology could not come in real, I confirmed my desire for automobile and gained experience in the patent management of development.

During my studies, my focus was on electric cars and heat transfer, which relates to the battery thermal management system, the cover structure of battery module and heat pump system. I have decided to continue my studies because the Bachelor's degree does not teach enough about my focus. And there is a limit to self-education about cooling system. With your program, I expect not only develop my knowledge, but also broaden my horizons.

Germany is the home of car development and industry. In FAU there are possibilities that I can do more practical experiences and realize my dream job as an electric automobile designer. And in FAU I have a plan to research battery thermal management system with battery cooling line which works as not only for cooling system but also shock-absorbed structure for battery module. Further, I will take a step to my ideal who is admired engineer from automobile lovers.

And there is another reason. It surprises me that there are many car club in University Stuttgart, such as 'Green team' and 'Renn team', that have great capabilities. I had to learn and use myself for the bachelor thesis ANSYS Fluent, or in basic experimental stage. Because unfortunately my car team is on the first step to design electric vehicle. Of course it was a useful experience, but if the university had a more competitive racing team, it would have been more helpful to develop my job better. The master program at the University Stuttgart is ideal to complete my studies of Master degree.

I would be very happy if you consider my application and to talk to you about my CV and skills.

Best regards

CV #1

 # Sample

Curriculum Vitae

Name:

Address:

Tel:

Email:

Education

2014-2018 **Chonnam National University**, Gwangju, Korea

Bachelor of Arts in English Language and Literature

Minor in Business Administration

2011-2013 **Jangdeok High School**, Gwangju, Korea

Work Experience

2018 **Translation**

Interpreter at 2018 SWEET (Solar Wind Earth Energy Trade Fair)

Interpreter at 2018 Gwangju International IoT • Robot Fair

2018-present **Barista & commercial marketer at private café**

2017 **SAMSUNG Dream class** (March-December)

Teaching English to Middle school students

Private English Tutor (March-June)

Taught English to Middle school Children

2016 **H&M Clothing** (February-May)

Clerk

2014 **Lotteria: Hamburger store** (June-August)

Staff

Activities

2017 Exchange student at Jeju National University, Jeju-do, Korea

Volunteer for Korean Language and multiple cultures with foreigners at CNU global Center

Volunteer for elementary school children at SK sunny

2016 Exchange student at Purdue University, Indiana, USA

2014-2015 Director and actress at English Club EDS (English Drama Society)

2014 Attended at College of Liberal Arts' career camp

Honors and Awards

CNU Scholarship (2014)

MIRAE ASSET Scholarship for international exchange student

Language Skills

Advanced reading, speaking and listening competence in English

Beginning reading, speaking and listening competence in German

Certifications

2017 **TOEIC Speaking**

Level 7

TOEIC

900/990

2018 **TOEFL**

93/120

Interests

Reading, travelling abroad, collecting old CD and cassette tape, planning, maintain a blog concerned with vintage stuff and café.

7. 독일 대학 합격 후 현지에서 무엇을 준비해야 할까?

독일 대학 합격 후 이 챕터까지 오셨다면 정말 축하 드립니다! 이제 현지에 가셔서 비자 신청하는 일만 남았네요! 이 챕터에서는 비자를 신청하기 위한 순서와 필요한 서류들에 대해 안내 해드리겠습니다.

7.1 숙소 구하기:

독일에서의 성공적인 정착을 위해선 좋은 숙소를 구하는 것도 아주 중요합니다. 대부분 좋은 숙소라 하면 주변 교통이 편리하고 깨끗한 시설을 갖추고 있으며, 거기에 월세도 저렴한 숙소를 생각할 거라고 생각합니다. 솔직히 좋은 컨디션에 저렴한 월세는 존재하지도 않고 혹 있다하더라도 경쟁률이 상당히 높을 것입니다. 많은 학생분들이 숙소를 구해놓고 독일로 출국하는 분들이 많습니다. 하지만, 사진만으로는 모든 컨디션을 파악하기 쉽지 않아 막상 입주 후에 후회하시는 분들이 너무나도 많습니다. 또한, 이런 유학생들을 상대로 사기 치는 사람들도 많습니다. 깨끗한 집을 저렴하게 광고해 문의가 많으니 예약 명목으로 보증금과 월세를 바로 요구하는 경우도 많고, 믿게 하기 위해서 본인 신분증을 보내 주기도 하는데 대부분 사기이니 조심하시길 바랍니다. 따라서 저의 개인적인 의견으로는 단기로 출국 전 임시 숙소를 미리 예약해 두고, 그 기간 동안 숙소를 구하는 데 몰두하는 것이 맞다고 생각합니다. 숙소는 독일 정착을 위해 가장 기본이 되기 때문입니다. 사진상으로는 알 수 없었던 것들을 두 눈으로 보고 직접 대중교통을 이용해 가 보기도 한다면 보다 좋은 숙소를 구할 수 있습니다. 또한, 집주인이 거주 확인서(Wohnungsgeberbestatigung)를 내줄 수 있는지의 여부도 확인해야 되기 때문입니다. (비자 신청 시 필요한 서류 중 하나입니다).

독일에서 혼자 편하게 지내고 싶다 하시는 분들은 Einzelzimmer (아인젤) 원룸으로 된 숙소를 구하시면 됩니다. 지역마다 차이는 있겠지만 평균 달에 700~1000유로 정도 생각해야 하고 원룸을 구할 때 두 가지의 종류가 있는데 바로 칼트미테(Kaltmiete)와 밤미테(Warmmiete) 입니다. 같은 월세이지만 차이점은 수도세, 난방비 등의 공과금 포함 여부입니다. 칼트미테는 공과금이 포함이 안 된 순수 월세이고 밤미테는 수도세, 난방비 등 공과금이 포함된 월세입니다. 따라서 월세를 구하실 때는 밤미테 가격으로 봐야 더 저렴한 숙소를 구할 수 있습니다. 보통 이런 월세들은 대부분 가구들이 구비되어 있지 않아 초기에 비용이 많이 들어가고 모든 월세를 혼자 감당하기 때문에 비용적인 부분에선 좋지 못하지만 혼자 지낼 수 있다는 장점이 있습니다. 나는 혼자서 모든 걸 부담하는 게 부담스럽다 하시는 분들은 WG (Wohnungsgemeinschaft)를 추천드립니다. 셰어 하우스 같은 개념의 숙소이고 평균 가격은 달에 400~500 유로입니다. 방은 개인 방이지만 거실, 주방, 화장실 등을 같이 써야 합니다. 월세를 나누어 내기 때문에 아인젤보다는 저렴하고, 집 분위기에 따라 조금씩 다르겠지만, 보통 초기 정착 시에 친구도 만들 수 있고 정보도 얻을 수 있다는 게 장점입니다. 하지만, 생활 습관이나 문화가 전혀 다른 사람들과 함께 지내야 할 수도 있으니 예민한 분들은 힘들 수도 있습니다.

이렇게 일반적으로 유학생분들이 지내는 숙소의 종류에 대해서 알려 드렸고, 관련 용어를 간단하게 정리해 드리겠습니다.

- Kaution (카우치온) - 한국의 보증금과 같은 개념입니다. 일반적으로 2~3달 정도의 월세를 요구합니다.

- Zwieschen (쯔뷔센) - 한국의 전전세라고 생각하면

됩니다. 간혹 집주인의 허락 없이 쯔뷔센을 내놓는 경우도 있는데 조심하셔야 합니다. (집주인이 쯔뷔센을 놓는 곳도 있습니다).

- Ubernehmen (위버네멘) – 보통 넘겨받는 형태의 숙소이고, 가구도 일정 금액으로 넘겨받을 수 있습니다.

- Nachmieter (나흐미터) – 세입자라는 뜻입니다.

독일에서 숙소를 구하는 방법은 여러 가지가 있습니다.

1. 페이스북 – 페이스북에 그룹 페이지가 있습니다. 독일 방이라고만 검색해도 여러 그룹 페이지가 나오는데, 다양한 지역에서 다양한 방들이 올라오니 가입하셔서 확인해 보길 바랍니다.

2. 독일에서 방 구하기 / 베를린 리포트 – 독일 한인 사이트들입니다. 독일 전 지역에서 사용하고 있고, 숙소 뿐만 아니라 다양한 정보도 얻을 수 있습니다.

3. ImmoScout24 – 독일 내에서 많이 사용되고, 부동산을 끼고 거래되기 때문에 안전합니다. 또, 어플을

이용한다면 원하는 조건을 설정해 알림도 받을 수 있습니다.

4. Wg-Gesucht – 셰어 하우스를 찾고 싶다면 여기서 찾으시면 됩니다.

숙소를 출국 2~3달 전부터 미리 알아보기 시작한다면 보다 원하는 조건에 숙소를 찾을 수 있습니다. 마지막으로 숙소를 계약하게 된다면, 필요한 서류들이 있는데 주거 형태에 따라 필요한 서류들이 달라집니다. 기본적으로 공통되게 필요한 것들은 아래의 3가지입니다.

1. 신분증 (여권)
2. 자기소개서
3. 입학 허가서 또는 재직 증명서

추가적으로 요구된다면 신용 등급 증명서나, 3개월 월급 명세서 등이 있습니다.

7.2 거주지 등록:

학생 비자를 신청하기 위해서는 안멜둥 (Anmeldung)이 필수적으로 필요합니다. 안멜둥이란 거주지 등록을 뜻하는 독일어로, 한국의 전입 신고로 생각하면 됩니다. 독일 관청에서 안멜둥 등록 후 확인서를 요청할 수 있습니다. 이 안멜둥 확인서가 있어야 비자 신청, 계좌 개설, 인터넷, 휴대폰 등을 신청할 수 있습니다. 따라서, 거주지가 정해지면 안멜둥을 가장 우선적으로 해결해야 합니다. 안멜둥은 일반적으로 입주 후 14일 이내 Burgeramt (한국 시청/주민 센터 같은 개념)에서 신청하는 것을 원칙으로 하며, 온라인 예약을 필수적으로 받고 있고, 구글에서 검색 후 가장 가까운 곳으로 예약하면 됩니다. 혹 인터넷으로 예약이 불가하다면, Burgeramt에서 방문 예약도 가능합니다.

안멜둥 신청 시 필요 서류:

1. 신분증 (여권)
2. 신청서 (Anmeldeformular)
3. 집주인 확인서 (Wohnungsgeberbestatigung)
4. 기본 증명서 (출생 국가 및 출생 도시 확인용)

가족이 동시에 신청한다면 혼인 관계 증명서나 자녀의 기본 증명서가 추가로 필요할 수도 있습니다. 처음이라 테아민 잡는 게 어렵다 하시면 아래 설명을 따라서 해 보세요.

구글 검색창에 "Berlin (도시명) anmeldung termin" 검색 ☞ 제일 상단에 나오는 Andeldung einer wohnung – Dienstleistungen – Service Berlin 을 클릭해 주세요. 안멜둥 예약 페이지에 들어가셨다면 ☞ 화면 오른쪽에 위치해 있는 "Termin Berlinweit Suchen" 버튼을 클릭 ☞ 달력에서 파란 색으로 "verfuqbar" 로 활성화된 날짜들중 가능하신 날짜를 선택하셔서 개인정보 (성,이름, 이메일등) 기입 후 예약을 하실수 있습니다. 예약이 잘 됐다면, 기입한 이메일로 "예약 확인증"을 받을 수 있습니다. 이 예약 확인증은 출력해서 예약 당일에 지참해서 가시면 됩니다.

7.3 슈페어콘토:

비자 신청 시에 필수로 들어가는 서류 또는 증명해야 되는 것들 중 하나가 바로 슈페어콘토입니다. 슈페어콘토란 유학생들이 독일에 체류하는 기간 동안 학비와 생활비 충당이 가능한지를 입증하는 재정 증명 계좌 입니다. 독일에 머물 개월 수 X 934유로로 계산한 금액을 계좌에 묶어 두고 추후 개인 계좌(지로콘토)로 매달 지급받는 형식으로 진행되고 있습니다. 재정 증명은 비자 발급 신청 시 꼭 있어야 합니다. 컨설팅을 하다 보면 간혹 어떤 분들이 한국 은행 잔고 증명서나 혹은 독일에서 아르바이트를 하는데 달에 934 이상의 유로를 벌고 있으니 근무 계약서 같은 걸로도 대체 가능하냐고 물어보시는데, 이런 경우는 거절된다고 보면 됩니다. 간혹 된다고 하더라도 첫 비자 발급이 아닌, 연장 시에만 낮은 확률로 되는 것 같습니다. 그러니 모험은 하지 말아 주세요. 시간 낭비가 될 수 있습니다.

일반적으로 슈페어콘토 개설과 보험을 같이 가입하는 경우가 많습니다. 학생비자 발급 신청 시 보험에 가입이 되어 있어야 합니다. 따라서, 많은 업체에서는 슈페어콘토와 보험을 묶어서 패키지 상품으로 많이 판매하고 있습니다. 많은 분들이 엑스파트리오를 사용하고 계신데, 저희 유학원에서는 학생분들에게 코라클(Coracle) 사용을 추천하고 있습니다. 이유는 가장 저렴함은 물론이고 문의했을 때 정말 빠른 답변을 얻을 수가 있기 때문입니다. 가입 방법은 구글에서 Coracle을 검색하셔서 홈페이지에서 가입하시면 되고, 네이버에도 이미 많은 분들이 가입 방법에 대해 설명해 두었으니 참고하셔도 좋을 것 같습니다.

7.4 비자:

독일 대학에 합격해 현지에 체류하기 위해 비자, 슈페어콘토(재정 능력 증빙), 숙소 등 꼭 필요한 것들이 있습니다. 첫번째로 독일 학생 비자 발급에 관해 설명드리겠습니다. 비자를 준비하기 위해선 필요로 하는 서류들이 꽤 많습니다.

1. 비자 신청서
2. 유효한 여권
3. 여권 사진 2매
4. 독일 대학 혹은 어학원 입학 허가서
5. 최종 학력 증명서
6. 독어 또는 영어 점수 확인서
7. 보험 증명서/계약서
8. 슈페어콘토
9. 비자 신청비 (현금)
10. 거주 확인서

위 8가지 서류가 일반적으로 학생 비자 신청 시 요구되는 서류들입니다. 물론 어떤 언어로 진행되는 학과인지에 따라 다른 추가 서류가 요구될 수도 있습니다. 비자 신청은 국내와 현지에서 모두 신청이 가능하지만, 학생 비자는 현지에서만 신청이 가능합니다. 간혹 워킹 홀리데이 비자와 학생 비자랑 헷갈려 하시는 경우도 있는데 학생 비자는 국내에서 신청이 불가능 합니다!.

많은 분들이 알고 계시다시피, 독일은 90일간 무비자로 체류가 가능하고, 쉥겐 협약 때문에 무비자로 90일간 협약에 가입된 26개의 유럽 국가들을 자유롭게 이동할 수 있습니다. 따라서 많은 학생들이 여행 혹은 현지 정착을 목적으로 이른 시기에 출국 후 독일에서 비자를 신청하고 있습니다.

현지에서 학생 비자 발급을 위해선, 위에 나와 있는 서류들을 미리 준비해 주신 후 거주하고 있는 시청 웹사이트에 들어가 테어민을 잡고, 해당 날짜에 방문을 하면 됩니다. 비자 발급까지 약 3~4주 정도의 시간이 소요되지만, 무비자 기간 90일 이내에 신청만 하면 된다고 하니 참고하면 좋을 것 같습니다.

8. 마무리

유학 클로버는 매년 천 명 이상의 학생들을 개개인에 맞춰 상담하고 컨설팅하고 있습니다. 그동안 상담을 해 오면서 많은 학생들과 학무모들의 공통된 질문들 위주로만 서술했습니다. 물론 모든 내용을 처음부터 끝까지 담을 수 없어서 부족한 내용도 많겠지만, 이 책이 독일 유학을 생각하게 하고 준비할 수 있는 발판이 되었으면 좋겠습니다. 긴 글 읽어 주셔서 감사합니다.

.

.

.

독일 유학을 준비하는 모든 학생들을 응원합니다!

독일 유학에 관해 더 많은 정보가 필요하시다면, 1661-5633 유선 문의나 카카오톡 채널 "유학클로버"를 검색해주세요.

※출간 기념 이벤트※

하나! 2023년도 6월 30일까지 방문 상담을 무료로 제공해 드리겠습니다. (방문 상담은 예약제로만 운영되고 있고, 예약 시에 책 보고 왔다고 꼭! 말씀해주세요).

둘! 책을 보고 오셔서 컨설팅까지 계약하시는 분들에게는 왕복 교통비 전액을 지원 하겠습니다. (항공권 및 KTX도 가능 합니다) *영수증 제공 필수*